Sofia et le cœur de cristal

Nadja
Julie Camel

playBac

La légende de Giulia

Sofia habite à Venise, et sa maîtresse raconte souvent aux enfants l'histoire et les légendes de leur ville. Aujourd'hui, elle leur a parlé de celle de la princesse Giulia. Celle-ci était amoureuse d'un jeune soldat, Federico. Mais ses parents, riches et puissants, lui interdirent de l'épouser et le firent jeter en prison. Avant d'être emprisonné, il eut juste le temps de lui faire un cadeau, un cœur de cristal.

– C’est un cœur magique, lui dit-il. Dans un an et un jour, tu le mettras dans le premier rayon du soleil levant. Alors, nous serons réunis pour toujours.

Quand le jour tant attendu arriva, Giulia chercha le cœur qu'elle avait caché dans un coffret. Mais, en le déplaçant, quelqu'un avait fait tomber le coffret et le cœur s'était brisé en mille morceaux. Federico resta en prison, et Giulia, désespérée, mourut de chagrin.

D'après la légende, la princesse aurait vécu dans un palais de Venise que Sofia connaît bien, car elle passe devant tous les jours en rentrant de l'école. Il semble abandonné depuis toujours. Ce soir, les murs anciens, encore éclairés par le soleil, se reflètent comme dans un miroir dans l'eau particulièrement calme du **canal**. Soudain, Sofia aperçoit un mouvement dans l'image reflétée.

Mais, quand elle lève les yeux, il n'y a personne derrière les hautes fenêtres. Pourtant, elle est bien sûre d'avoir vu… un visage. Elle a hâte d'en parler à ses amis, à l'école.

Mais le lendemain, à sa grande déception, personne ne la croit.
– Ha ! ha ! tu crois aux fantômes ! se moquent-ils.
Stefano, qui est pourtant son meilleur ami, rit avec les autres. Sofia a de la peine.
– Je vous dis que c'était un visage ! Et il me regardait ! crie-t-elle.

Elle ne parle plus à Stefano de la journée. À la sortie, elle part de son côté sans même lui dire au revoir. Refoulant ses larmes, elle prend un autre chemin que d'habitude, pour qu'il ne la rattrape pas.

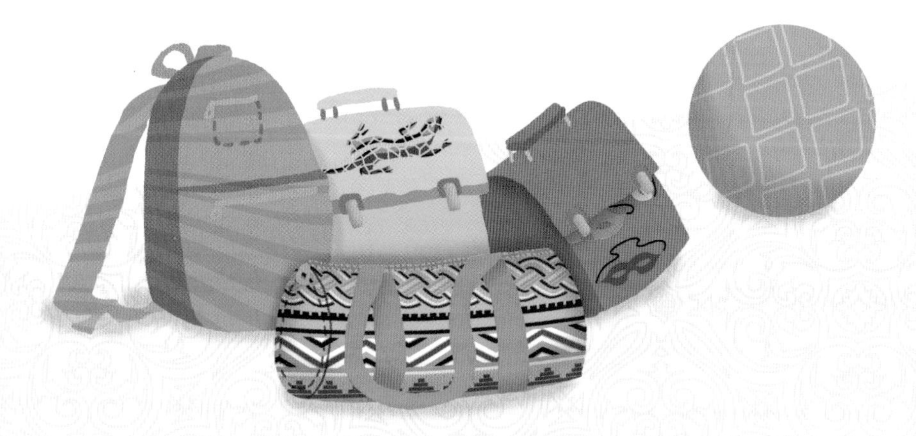

Sofia rencontre le souffleur de verre

Sofia longe les **canaux**, traverse les petits ponts, sans même savoir où ses pas l'entraînent. Le soir est en train de tomber, et l'obscurité gagne peu à peu les ruelles étroites. L'envol d'un pigeon solitaire la sort soudain de ses pensées.

– C'est bizarre, se dit-elle en regardant autour d'elle, je ne suis jamais passée par ici.

Elle ne reconnaît pas le quartier où elle se trouve, et commence à s'inquiéter.

La rue est étrangement vide, il n'y a personne pour la renseigner. Heureusement, un peu plus loin une boutique semble encore ouverte. En s'approchant de la vitrine, Sofia entrevoit un **souffleur de verre**, éclairé par les flammes de son four. Avec sa veste de velours et ses cheveux longs, il rappelle à Sofia les personnages des tableaux d'autrefois. Sofia frappe doucement à la porte. L'homme lui fait signe d'entrer sans interrompre son travail.

– Que veux-tu, petite fille ?

Timidement, elle lui demande son chemin.

– Je dois finir mon travail. Assieds-toi là un moment, et je tè raccompagnerai, lui dit-il.

Il sort une boule de verre du four
et la transforme en une délicate figurine,
qu'il pose parmi les autres, sous les yeux
émerveillés de Sofia.
– Vois-tu quelque chose qui te plaît ?
lui demande-t-il gentiment.
Sofia hésite.

– Je voudrais bien… un cœur, chuchote-t-elle.
– Un cœur ? s'exclame l'artisan. Et pourquoi cela ?
Assise sur son tabouret, Sofia lui raconte l'histoire de Giulia.
– Mmm… Un cœur magique, marmonne-t-il, tout en créant le ravissant objet, qu'il offre ensuite à Sofia.

Un peu plus tard, il l'accompagne jusqu'à l'angle de la ruelle, et lui indique le chemin. Quand elle se retourne pour le remercier, il a déjà disparu. Elle est presque arrivée chez elle, tenant le cœur de cristal entre ses mains, quand une silhouette se détache soudain du mur.

C’est Stefano. Il a l’air désolé.
– Je te demande pardon, lui dit-il. Je ne voulais pas te faire de peine.
Sofia reste silencieuse, et Stefano s’éloigne tristement.
– Attends ! dit Sofia.
Elle a décidé de lui pardonner.

Les deux enfants marchent en se tenant par la main. Sofia raconte son étrange rencontre, et Stefano admire le beau cadeau du **souffleur de verre**.

– Je crois que j'ai compris ce qui s'est passé hier, dit-il. Il y a un mur démoli derrière le jardin du palais. J'ai vu des enfants l'escalader. Ils ont dû entrer dans le palais, et c'est sûrement l'un d'eux que tu as aperçu l'autre jour.

Sofia l'écoute attentivement.

– Alors, nous aussi, on peut y entrer, dit-elle, songeuse.

Comme la nuit est tombée, ils se donnent rendez-vous le lendemain, avant d'aller à l'école.

Le cœur de cristal

Tandis que le jour commence à peine, Sofia et Stefano se retrouvent devant le mur éboulé. En s'aidant l'un l'autre, ils parviennent à le gravir, et pénètrent enfin dans le beau jardin abandonné. Des rosiers ont grimpé sur les balcons délabrés, et des sculptures de pierre, rongées par les ans, se dressent parmi les herbes folles.

Une des statues est un peu à part. C'est une jeune fille, l'air désespéré, les mains serrées contre sa poitrine.
– Giulia… murmure Sofia, bouleversée.

Sans réfléchir, elle glisse le cœur dans les mains sculptées.
– J'espère que tu retrouveras ton amour, chuchote-t-elle.
C'est alors que le soleil apparaît au-dessus des murs, et qu'un rayon vient transpercer le cœur de cristal bleuté.

À ce moment précis, sous les yeux éblouis des enfants, tout se transforme.
Les murs abîmés deviennent à nouveau lisses, des fleurs magnifiques remplacent les mauvaises herbes, le marbre des statues recommence à briller. Et, lentement, les coins de la bouche de Giulia s'étirent en un sourire charmant.

Le jour tout à fait levé, les **Vénitiens** découvrent avec ravissement que le palais a retrouvé sa splendeur d'antan.

Un mystère vient bientôt s'ajouter à celui-ci. Dans tous les livres qui racontaient la légende de Giulia, la fin n'est plus la même !

L'un contre l'autre, Sofia et Stefano la lisent et la relisent avec bonheur.
Lorsque le jour tant attendu arriva, après un an et un jour, Giulia sortit le cœur de sa cachette, et le brandit dans la lumière. Elle entendit alors un tintamarre. Fêté par la foule, Federico, son grand amour, se tenait sous ses fenêtres. Il était devenu le préféré du roi et venait demander la main de Giulia. Ses parents ne purent refuser, et les deux amoureux vécurent heureux jusqu'à la fin de leurs jours.
– C'est comme nous, dit Stefano à Sofia en la regardant dans les yeux. Toi et moi, nous serons amis pour la vie.

Joue avec Sofia

Vrai ou faux ?

Stefano est le meilleur ami de Sofia.

Pourquoi la princesse Giulia est-elle désespérée ?

1. Parce qu'elle a perdu le cœur de cristal que Federico lui a offert.
2. Parce que le cœur s'est brisé et a perdu sa magie.
3. Parce qu'elle n'aime pas le cadeau de Federico.

Pourquoi Sofia est-elle fâchée contre Stefano ?

1. Parce qu'il ne la croit pas et s'est moqué d'elle.
2. Parce qu'il lui a volé le cœur de cristal.
3. Parce qu'il lui a crié dessus.

Vrai ou faux ?

La fin de la légende a changé grâce à Sofia.

Réponses : Vrai. 2. 1. Vrai.

Parmi ces 3 cœurs, quel est celui que le souffleur de verre a offert à Sofia ?

1. 2. 3.

Réponse : 3.

Trouve l'objet en cristal qui n'est pas en double :

1. 2. 3. 4. 5.

6. 7. 8. 9. 10.

11. 12. 13. 14.

15. 16. 17.

Réponse : 4.

Retrouve
dans la même collection